Alphonse Elric

Edward Elric

Alex Louis Armstrong

Roy Mustang

Après un combat dévastateur contre l'énigmatique Scar, Edward et Alphonse se rendent dans leur village natal afin de réparer leurs corps meurtris. C'est l'occasion pour les frères Elric de retrouver Winry Rockbell, leur amie d'enfance, ainsi que sa grand-mère, Pinako Rockbell, qui sont les mécaniciennes les plus réputées de la région. Mais le repos est de courte durée et nos alchimistes partent rapidement pour la capitale : Central City, afin de percer le secret de la pierre philosophale et du laboratoire N°5...

PERSONNAGES
FULLMETAL ALCHEMIST

□ **Winry Rockbell**

□ **Scar** - L'homme à la cicatrice -

□ **Gluttony**

□ **Lust**

RÉSUMÉ
FULLMETAL ALCHEMIST

Sommaire

Chapitre 9	**Retour aux sources**	7
Chapitre 10	**La pierre philosophale**	51
Chapitre 11	**Les deux gardiens**	87
Chapitre 12	**Définition d'un humain**	129
Bonus	**Le festival militaire**	173
Bonus		183

ÇA A L'AIR PARFAIT ! PINAKO, VOUS AVEZ FAIT DES MERVEILLES !

CROUIC CROUIC

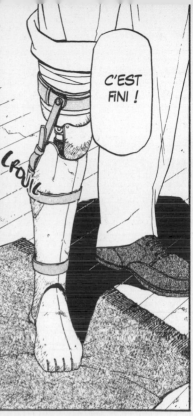

C'EST FINI !

CROUIC

HA ! HA ! VOUS RIGOLEZ ?

VOUS ÊTES CERTAIN DE NE PAS VOULOIR D'AUTO-MAIL ?

AU REVOIR !

JE N'AURAI JAMAIS AUTANT DE COURAGE, MERCI QUAND MÊME

NE VOUS LAISSEZ PAS IMPRESSIONNER. JE CONNAIS UN JEUNE GARÇON QUI A ÉTÉ ÉQUIPÉ D'UN BRAS ET D'UNE JAMBE... EN MÊME TEMPS !

C'EST SÛREMENT TRÈS PRATIQUE, MAIS J'AI ENTENDU DIRE QUE C'ÉTAIT TRÈS DOULOUREUX APRÈS L'OPÉRATION ET LORS DE LA RÉÉDUCATION...

8

ON A DE BONS CLIENTS QUI ARRIVENT !

WINRY !!

HUUMM... ILS ONT L'AIR EN FORME

CHAPITRE 9
RETOUR
AUX SOURCES

ÇA FAIT LONGTEMPS QU'ON NE S'EST VUS, MAIS...

CONTRASTE

ED, TU N'AURAIS PAS RAPETISSÉ ?

JE SUIS PINAKO ROCKBELL

VOICI LE COMMANDANT ARMSTRONG

DEN, ÇA FAIT LONGTEMPS

MINUSCULE MÉMÈRE !!!

MICRO RASE-MOTTES !!

POT À TABAC !

TU T'ES REGARDÉ, NABOT ?

C'EST QUI, LE MINUS ?! ESPÈCE DE RAMASSIS DE PETITE VIEILLE !

C'EST PAS POSSIBLE !

PAC

PAC

PAC

BLA BLA BLA

JE LUI AI DÉJÀ DIT DE PRÉVENIR À L'AVANCE QUAND IL SE POINTE !

EH! ED !!

JE T'AI POURTANT DIT QU'IL FALLAIT QUE TU TÉLÉPHONES AVANT DE VENIR TE FAIRE RÉPARER !!

TU VEUX ME TUER OU QUOI ?!

NON ! MAIS WINRY...

14

OH ! DÉSOLÉ, IL EST COMPLÈTEMENT PULVÉRISÉ

QUOI !!! ...

MILLE

COMMENT DIRE... IL A EXPLOSÉ EN MILLE MORCEAUX... ha ha ha

Défaille

PULVÉRISÉ ! T'AS BIEN DIT « PULVÉRISÉ » !!?

QU'EST-CE QUE TU AS FAIT POUR DÉTRUIRE CE MAGNIFIQUE AUTO-MAIL QUE J'AI CONSTRUIT AVEC AMOUR !!?

EH BIEN... hé hé

VOUS MENEZ QUOI, COMME VIE ?...

QUOI ? TOI AUSSI TU ES CASSÉ ?

OUI, C'EST ASSEZ URGENT !

DONC TU VEUX ALLER À CENTRAL POUR RÉCUPÉRER DES DOCUMENTS SUR LA PIERRE PHILOSOPHALE OU UN TRUC DANS LE GENRE... LE PLUS RAPIDEMENT POSSIBLE ?

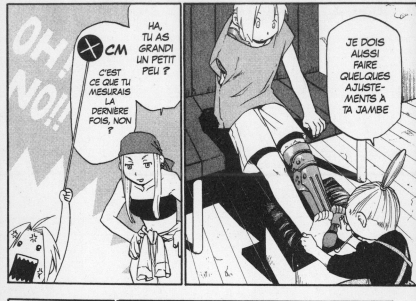

OH! NO!!

XCM

C'EST CE QUE TU MESURAIS LA DERNIÈRE FOIS, NON ?

HA, TU AS GRANDI UN PETIT PEU ?

JE DOIS AUSSI FAIRE QUELQUES AJUSTEMENTS À TA JAMBE

Pffff

ÇA VA DURER COMBIEN DE TEMPS ? UNE SEMAINE ?

TOC TOC

POUR LA JAMBE, CE N'EST PAS TROP DUR, MAIS LE BRAS IL FAUT ENTIÈREMENT LE REFAIRE...

17

TU VEUX ALLER À CENTRAL LE PLUS VITE POSSIBLE, NON ?

DANS CE CAS, JE VAIS FAIRE DE MON MIEUX !

HA...

TU NE T'ES PAS ENCORE HABITUÉ À CETTE JAMBE, C'EST ÇA ?...

PAF

MAIS PAR CONTRE, JE VAIS VOUS FAIRE PAYER LA FORMULE EXPRESS !

C'EST PAS NOUVEAU...

ha ha ha

QUELLE VIOLENCE ! C'EST QUOI, CETTE FILLE !?

18

TROIS JOURS D'ATTENTE...

POF

Pia

Pia Pia

CUI CUI

JE COMPRENDS...

OUAIS, MAIS J'AIME PAS M'EMBÊTER !!

LES DERNIERS JOURS ONT ÉTÉ MOUVEMENTÉS, ÇA FAIT DU BIEN D'ÊTRE UN PEU AU CALME, NON ?

...C'EST ENNUYEUX DE N'AVOIR RIEN À FAIRE

Il n'y a rien à faire ici

FLOSH FLOSH

MAIS TOI, TU NE PEUX PAS Y ALLER DANS TON ÉTAT...

ME RECUEILLIR...

JE SAIS ! POURQUOI TU N'IRAIS PAS TE RECUEILLIR SUR LA TOMBE DE MAMAN ?

C'EST TA SEULE OCCASION D'ALLER AU CIMETIÈRE...

ON VA DEVOIR PARTIR POUR CENTRAL DÈS QUE TON AUTO-MAIL SERA RÉPARÉ

JE NE VAIS PAS EMBÊTER LE COMMANDANT, JE VAIS RESTER ICI

JE VAIS ALLER Y FAIRE UN TOUR...

C'EST VRAI...

BL AM

HUMPF

IL EST PARTI SUR LA TOMBE DE SA MÈRE...

OÙ EST PASSE EDWARD ELRIC ?

AH, MERCI BIEN

J'AI FINI DE COUPER LE BOIS, MADAME PINAKO !

PAS DE SOUCI !

ha ha ha !!

JE LUI AI POURTANT DIT DE NE PAS SORTIR TOUT SEUL !

ED A UN TRÈS BON GARDE DU CORPS AVEC LUI

Huf Huf Huf

Toc

Toc

ÇA FAIT UN SACRÉ BOUT DE TEMPS !

HA ! EDWARD ! JE NE SAVAIS PAS QUE TU ÉTAIS REVENU ?!

COMMANDANT... LA VIE DE CES GAMINS N'EST PAS TROP MOUVEMENTÉE, J'ESPÈRE

à plus

En espérant que tu reviennes de temps à autre

TU TRAVAILLES TOUJOURS AU TRUC D'ÉTAT, LÀ ?

QU'EST-CE QUE VOUS AVEZ TOUS À ME DIRE QUE J'AI RAPETISSÉ !?

HA HA HA

T'AURAIS PAS RAPE-TISSE UN PEU ?!

22

VOUS SAVEZ, C'EST LA CAMPAGNE ICI...

C'EST DIFFICILE D'AVOIR DES INFORMATIONS VENANT DE LA VILLE... SURTOUT QU'ILS NE M'ÉCRIVENT PAS, JE M'INQUIÈTE UN PEU

ÇA IMPLIQUE QU'IL S'ATTIRE PARFOIS QUELQUES ENNUIS...

LES FRÈRES ELRIC... EDWARD EST ASSEZ CÉLÈBRE À CENTRAL EN TANT QU'ALCHIMISTE

FORTS... JE SAIS...

MAIS IL N'Y A PAS DE SOUCI À SE FAIRE, CES ENFANTS SONT FORTS

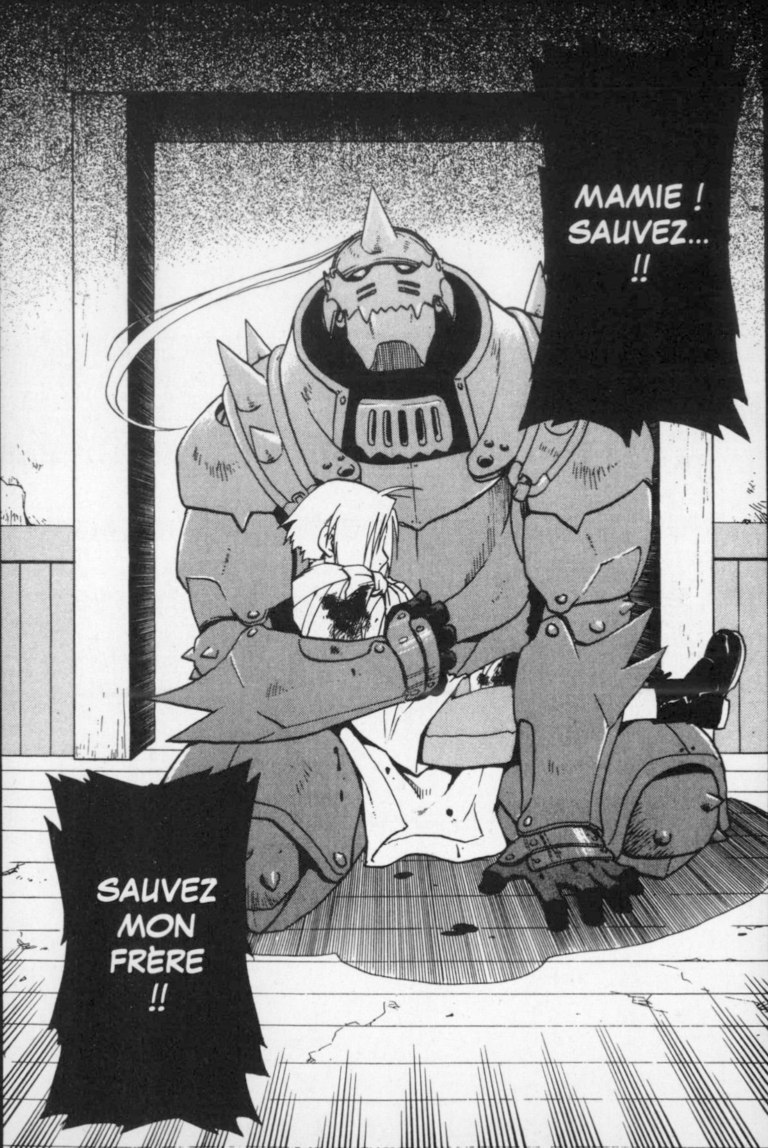
MAMIE ! SAUVEZ... !!
SAUVEZ MON FRÈRE !!

DÉJÀ IL Y A QUATRE ANS, QUAND IL A PERDU SA JAMBE ET SON BRAS

VOUS AVEZ RAISON, ÇA IRA...

MAMIE ! J'AI DÉCIDÉ DE DEVENIR ALCHIMISTE D'ÉTAT !!

PUIS QUAND IL A DÉCIDÉ D'ÊTRE À LA BOTTE DE L'ARMÉE

ENFIN QUAND IL A ENDURÉ L'OPÉRATION POUR SON AUTO-MAIL QUE MÊME LES ADULTES NE SUPPORTENT PAS

S'IL TE PLAÎT ! J'AI BESOIN D'UN BRAS ET D'UNE JAMBE OPÉRATION- NELS !!

J'AI PARFOIS PEUR QUE TOUT CECI NE SOIT QU'UNE FUITE EN AVANT...

JE ME DEMANDE D'OÙ IL PEUT PUISER TOUTE CETTE DÉTERMINATION

JE CONNAIS LEUR PÈRE DEPUIS TRÈS LONGTEMPS, ON TRINQUAIT SOUVENT ENSEMBLE

ILS SONT UN PEU COMME VOS PETITS-ENFANTS...

OUI, JE LES AI VUS GRANDIR DEPUIS LEUR NAISSANCE

ON NE SAIT MÊME PAS S'IL EST VIVANT OU MORT...

CET IMBÉCILE... IL A QUITTÉ SA FEMME ET SES ENFANTS DU JOUR AU LENDEMAIN ET ON N'A PLUS EU AUCUNE NOUVELLE DEPUIS...

PUISQU'ON PARLE DE PARENTS, OÙ SONT CEUX DE WINRY ?

ILS SONT MORTS LORS DE LA GUERRE CIVILE D'ISHBAL.

PUIS, ÇA A MAL TOURNÉ...

PENDANT LA GUERRE, ILS ONT ÉTÉ RÉQUISITIONNÉS POUR PALLIER LE MANQUE DE MÉDECINS

LES PARENTS DE WINRY ÉTAIENT CHIRURGIENS...

CETTE GUERRE ÉTAIT VRAIMENT TERRIBLE

APRÈS LA GUERRE, NOMBREUX SONT CEUX QUI ONT PERDU UN MEMBRE ET IL A FALLU FOURNIR UN PAQUET DE PROTHÈSES

OUI... C'ÉTAIT TERRIBLE...

ON PERD DEUX ÊTRES CHERS À CAUSE DE LA GUERRE... MAIS GRÂCE À ELLE, ON A PU REMPLIR NOS ASSIETTES !

LA VIE EST IRONIQUE PARFOIS...

VOUS ÊTES TROP GENTILLE, MADAME PINAKO ROCKBELL !

ha ha ha

VOUS AVEZ L'AIR D'ÊTRE UN FIN GOURMET, JE VAIS Y METTRE TOUT MON CŒUR

À PROPOS DE MANGER, IL EST BIENTÔT L'HEURE DE PRÉPARER LE DÎNER !

HO !

MAIS CE N'EST PAS LEUR VILLE NATALE, ICI ? OÙ SE TROUVE LEUR FOYER ?

NULLE PART OÙ ALLER ?

DE TOUTE FAÇON, LES GAMINS N'ONT NULLE PART OÙ ALLER. DEUX OU TROIS PERSONNES EN PLUS NE FONT PAS GRANDE DIFFÉRENCE

IL Y A UN LIT LIBRE QUE LES PATIENTS UTILISENT D'HABITUDE, VOUS POUVEZ LE PRENDRE

NE VOUS PRIVEZ PAS, SURTOUT. C'EST TOUJOURS MEILLEUR QUAND IL Y A DU MONDE AUTOUR DE LA TABLE

APRÈS QU'ED A OBTENU SA LICENCE... LE JOUR DU DÉPART...

...ILS ONT MIS LE FEU À LEUR MAISON SANS LAISSER DE TRACES

NON

ILS N'ONT PLUS DE FOYER OÙ RENTRER...

JE N'Y ENTENDS GOUTTE EN ALCHIMIE, MAIS IL Y A UNE CHOSE DONT JE SUIS CERTAINE... ILS PRENNENT ÇA VRAIMENT AU SÉRIEUX...

EN BRÛLANT CETTE MAISON, ILS ONT FAIT UN TRAIT SUR LE PASSÉ ET NE PEUVENT PAS FAIRE MARCHE ARRIÈRE

ON RENTRE ...?

TOUT LE MONDE DOIT NOUS ATTENDRE ...

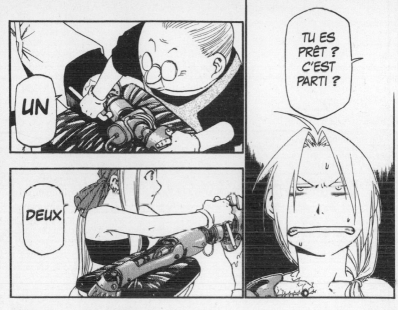

UN

DEUX

TU ES PRÊT ? C'EST PARTI ?

CLATCH

AÏEUH !!!

TROIS !!!

CLOC

ARRÊTE DE TE PLAINDRE

VAS-Y ! ESSAYE DE BOUGER UN PEU !

HUUUU

C'EST TOUJOURS AUSSI DÉSAGRÉABLE QUAND ON CONNECTE LES NERFS

C'EST DOMMAGE DE PERDRE UN SI BON CLIENT...

LE BRAS DROIT, ÇA VA...

J'ESPÈRE NE PLUS AVOIR À SUBIR ÇA À L'AVENIR

DE TOUTE FAÇON, TU DEVRAIS ABANDONNER, C'EST TROP DANGEREUX

EN PLUS, LES AUTO-MAILS ONT VRAIMENT LA CLASSE

DÈS QU'ON AURA LA PIERRE PHILOSOPHALE, ON RETROUVERA NOS VRAIS CORPS !

LA FERME, FANATIQUE D'ALCHIMIE !

SALE FANATIQUE DE MÉCANIQUE !

MÊME SI LE DESIGN EST UN PEU ÉTRANGE, JE TROUVE ÇA VRAIMENT MAGNIFIQUE !

HAAAA ! LES AUTO-MAILS SONT SI BEAUX !

L'ODEUR DE L'HUILE, LE GRINCE-MENT DES MUSCLES ARTIFICIELS ET DES ROULE-MENTS À BILLES...

ÇA TE VA ?

gnii gnii

OUI, JE ME SENS BEAUCOUP MIEUX

gnii

C'EST FINI !

CLING

PAR CONTRE, IL EST MOINS RÉSISTANT, DONC NE FAIS PAS DE FOLIE

J'AI UTILISÉ BEAUCOUP PLUS DE CHROME CETTE FOIS AFIN D'ÉVITER QU'IL NE ROUILLE

DE TOUTE FAÇON, T'ES LE GENRE À NE PAS FAIRE ATTENTION À TON AUTO-MAIL

DÉSOLÉ POUR L'ATTENTE, AL !

PAC PAC

...TU M'ÉCOUTES, OUI ?!

OUI, IL SUFFIT D'AVOIR LE COUP DE MAIN

TU VAS ARRIVER À LE RÉPARER ?

OUI

LES POLICIERS DE EAST CITY ONT TOUT RAMASSÉ TRÈS GENTIMENT

GLING GLING

TOUS LES DÉBRIS DE TON ARMURE SONT LÀ ?

TOUT À FAIT

VOUS VOYEZ CE SCEAU À L'INTÉRIEUR ?

VOUS AVEZ RAISON

C'EST MON SANG

ON DIRAIT QUE C'EST ÉCRIT AVEC DU SANG

JE DOIS REFAIRE LE RESTE DU CORPS SANS TOUCHER À CE SYMBOLE

C'EST CE QUI FAIT LE LIEN ENTRE L'ÂME DE AL ET L'ARMURE

SI L'ARMURE AVAIT ÉTÉ PLUS ENDOMMAGÉE, C'EN ÉTAIT FINI DE MOI...

ha ha ha ha ha

ON L'A ÉCHAPPÉ BELLE SUR CE COUP-LÀ

DU SANG

34

Crip crip

NE PERDONS PAS DE TEMPS !

Swoosh

BIEN, BIEN

QU'EST-CE QUE ? UN COMBAT FRATERNEL ?

GE...

HUM ?

PAS DU TOUT

WAAAAHH !

ON S'ENTRAÎNE JUSTE POUR VOIR SI TOUT FONCTIONNE COMME AVANT !

ET PUIS ÇA FAIT LONGTEMPS QU'ON NE S'ÉTAIT PAS UN PEU DÉGOURDIS !

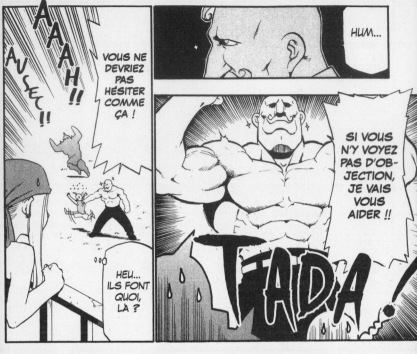

AAAH!!

AU SEC!!

VOUS NE DEVRIEZ PAS HÉSITER COMME ÇA !

HUM...

SI VOUS N'Y VOYEZ PAS D'OB-JECTION, JE VAIS VOUS AIDER !!

T[A]DA !

HEU... ILS FONT QUOI, LA ?

MAMIE !! ON A FAIM !

C'EST POUR ÇA QU'ON DOIT S'ENTRAÎNER RÉGULIÈREMENT

NOTRE MAÎTRE DISAIT TOUJOURS : « POUR AVOIR UN BON MENTAL, IL FAUT D'ABORD ÊTRE BIEN DANS SON CORPS »

JE COMPRENDS POURQUOI VOUS ÉTIEZ DANS CET ÉTAT...

DONC DÈS QUE VOUS AVEZ UN PEU DE TEMPS, VOUS VOUS BATTEZ ?

JE DIS TOUJOURS « UN ESPRIT SAIN DANS UN CORPS SAIN »

CE RAISONNEMENT EST EXACT...

C'EST BON POUR LE BUSINESS, ON NE VA PAS S'EN PLAINDRE !

AL, TU PEUX ME PASSER LE SEL !

REGARDEZ CE CORPS DE RÊ...

HO ! JE VOIS... ÇA VA ÊTRE BIEN CALME APRÈS VOTRE DEPART ...

DEMAIN MATIN, ON PREND LE PREMIER TRAIN POUR CENTRAL

HÉ, HÉ ! SI ON RETROUVE NOS CORPS D'ORIGINE, ON AURA PLUS BESOIN DE WINRY ET MAMIE

ÇA VEUT AUSSI DIRE QUE SANS MÉCANICIENS, TU NE PEUX RIEN FAIRE ! ALLEZ, TIRE PAS CETTE TRONCHE...

DIS DONC, ESPÈCE DE PETIT...

HÉ, HÉ ! BIEN ENVOYÉ !

QU'EST-CE QU'ELLE A, MA TRONCHE ?

ALPHONSE, ON DIRAIT QUE TU LE MATERNES UN PEU TROP

HAAA ! IL DORT ENCORE LE VENTRE À L'AIR ! IL EST VRAIMENT INCORRIGIBLE...

ON A DU MAL À VOIR QUI EST L'AÎNÉ ENTRE VOUS DEUX...

MÊME PAS VRAI !

C'EST PAS FACILE D'AVOIR UN FRÈRE QUI DONNE AUTANT DE FIL À RETORDRE

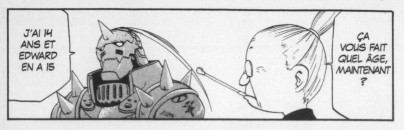

J'AI 14 ANS ET EDWARD EN A 15

ÇA VOUS FAIT QUEL ÂGE, MAINTENANT ?

MAIS QUAND IL DORT... IL EST SANS DÉFENSE...

HA, HA, HA !

C'EST DRÔLE ! ON A LE MÊME ÂGE ET POURTANT, IL EST CONSIDÉRÉ COMME UNE ARME DE DESTRUCTION MASSIVE À LUI TOUT SEUL...

QUAND NOUS SOMMES PASSÉS À LA CITÉ MINIÈRE DE YOUSWELL, IL DORMAIT DÉJÀ LE VENTRE À L'AIR

HE, HE, HE !

AH...!

?

IL A PRIS DES RISQUES

MAIS LE PATRON DE L'AUBERGE LUI A DIT « ICI C'EST NOTRE DEMEURE MAIS AUSSI NOTRE CERCUEIL ». ET EDWARD LEUR A DONNÉ UN COUP DE MAIN...

AU DÉBUT, EDWARD NE VOULAIT PAS LES AIDER DU TOUT

LES HABITANTS DE CETTE VILLE ÉTAIENT OPPRESSÉS PAR UN DIRIGEANT TYRANNIQUE ET ONT DEMANDÉ NOTRE AIDE

VOUS COMPRENEZ MIEUX QUE QUICONQUE LA DOULEUR QUE L'ON ÉPROUVE QUAND ON PERD SA MAISON

HA, HA, HA ! JE VOIS. « NOTRE DEMEURE », C'EST BIEN ÇA...

LUI, IL NE LE DIRA PAS, MAIS IL LE PENSE AUSSI

JE VOUS SUIS EXTRÊMEMENT RECONNAISSANT DE M'ACCUEILLIR COMME SI JE FAISAIS PARTIE DE LA FAMILLE...

OUI

JE NE REGRETTE PAS DE L'AVOIR BRÛLÉE MAIS PARFOIS C'EST SI DUR QUE J'AI ENVIE DE PLEURER

C'EST UN FAIT, NOUS AVONS PERDU LA MAISON DANS LAQUELLE NOUS AVONS GRANDI

CET IMBÉCILE SE LA JOUE TOUJOURS INSENSIBLE ...

DE TOUTE FAÇON ...

SI JE PLEURAIS, IL EST POSSIBLE QUE JE ME SENTE MIEUX APRÈS...

ha ha

MAIS AVEC CE CORPS, JE NE PEUX PAS...

ET IL Y A UN IDIOT QUI NE PLEURE PAS ALORS QU'IL LE POURRAIT...

SHLAC

COCORICO

PAS DE
SOUCI

MERCI
POUR
TOUT,
MAMIE

SI ELLE SE
LÈVE, ELLE
NE VA PAS
ARRÊTER DE
ME DIRE DE
FAIRE ATTEN-
TION À MON
AUTO-MAIL
ET TOUT...

AH NON !
C'EST BON

VOUS
VOULEZ
QUE JE LA
RÉVEILLE ?

ELLE A PASSÉ
TROIS NUITS
BLANCHES
D'AFFILÉE,
DONC ELLE
DOIT ENCORE
SE REPOSER...

OÙ
EST
WINRY
?

OUI, FAITES BIEN ATTENTION...

À LA PRO-CHAINE

LES GAR-ÇONS...

N'HÉSITEZ PAS À REVENIR MANGER QUAND VOUS VOULEZ

HU HU HU...

COMME SI ON ALLAIT SE TAPER TOUT LE CHEMIN JUSTE POUR MANGER...

ON N'HÉSITERA PAS !

...

QUOI ?!

SALUT !

TU AS VU L'HEURE !?

GNNIII

SALUT MAMIE

pia
pia

RANGE DONC UN PEU L'ATE-LIER !

OUAH ! J'AI FAIT LE TOUR DE L'HORLOGE AU LIT...

C'EST VRAI, J'AI TOUT LAISSÉ EN PLAN APRÈS LES RÉPARA-TIONS

ET IL NE S'EXCUSE MÊME PAS DE ME FAIRE VEILLER...

À CHAQUE FOIS QU'IL VIENT, C'EST UN BOXON PAS POS-SIBLE

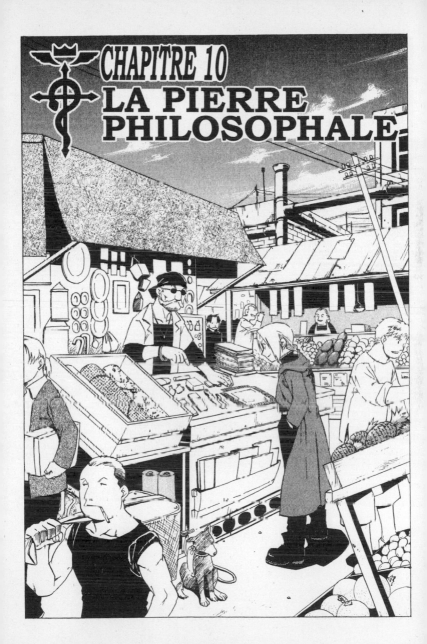

CHAPITRE 10
LA PIERRE PHILOSOPHALE

CLAC

COM-
MANDANT
ARMSTRONG,
NOUS
SOMMES ICI
POUR VOUS
ESCORTER !

C'EST LE
FAMEUX
FULLMETAL
ALCHEMIST ?

BON TRAVAIL,
SOUS-LIEUTE-
NANT ROSS !
VOUS AUSSI,
SERGENT
BROCHE

JE SUIS MARIA ROSS, JE SUIS HONOREE DE FAIRE VOTRE CONNAISSANCE

ET MOI, JE SUIS DENNY BROCHE

VOTRE SURNOM COLLE PARFAITEMENT À VOTRE APPARENCE !

COMMENT ÇA ? LE RASIBUS LÀ-BAS ?

EH ?

QUOI ? ON DOIT SE QUITTER ICI... C'EST VRAIMENT DOMMAGE !

JE VAIS ALLER DIRECTEMENT AU QUARTIER GÉNÉRAL FAIRE MON RAPPORT

grr grr

JE VOUS PRIE DE NOUS EXCUSER

DÉSOLÉ D'AVOIR DIT RASIBUS... ÇA M'A ÉCHAPPÉ...

À VOS ORDRES !

JE VOUS LES CONFIE

WAAAHH !!

GAAH

ON SE REVERRA BIENTÔT !

CRAC CRAC CRAC

MOI AUSSI JE TROUVE ÇA DOMMAGE ! C'ÉTAIT UN VOYAGE FORMIDABLE !

BIEN SÛR !

HEEE... J'AI TOUJOURS BESOIN DE GARDES DU CORPS ?

GRAND FRÈRE... TU DEVRAIS PLUTÔT LES REMERCIER DE NOUS AIDER

EH BIEN, SI ON NE PEUT PAS FAIRE AUTREMENT...

SELON UN RAPPORT DE NOTRE QG À L'EST, SCAR N'A TOUJOURS PAS ÉTÉ ARRÊTÉ. TANT QUE CETTE AFFAIRE N'EST PAS RÉSOLUE, ON NOUS A CONFIÉ VOTRE PROTECTION

OUI

GRAND FRÈRE ?

DONC ÇA VEUT DIRE QUE VOUS ÊTES SON PETIT FRÈRE ?

MÊME SI NOUS NE SOMMES PAS AUSSI FORTS QUE LE COMMANDANT, NOUS AVONS CONFIANCE EN NOTRE POTENTIEL. NE VOUS INQUIÉTEZ PAS...

ET... EUH... POURQUOI VOUS PORTEZ UNE ARMURE ?

C'EST LA MODE...

HA ! JE PEUX LA VOIR ! LA VOILÀ !

JE NE COMPRENDS PAS VRAIMENT... ILS SORTENT D'OÙ, CES DEUX-LÀ ?

psss psss

QUOI ?! LA MODE ! SOUS-LIEUTENANT, C'EST À LA MODE, CE GENRE DE TRUCS ?

IL FAUDRAIT AU MOINS VIVRE CENT VIES POUR POUVOIR LIRE TOUS LES LIVRES !

C'EST LA LIBRAIRIE NATIONALE DE CENTRAL, ON DIT QUE C'EST LA MIEUX DOTÉE EN LIVRES DU PAYS

ON Y STOCKE TOUTES SORTES DE RAPPORTS DE RECHERCHES, DES REGISTRES ET DES DOCUMENTS SCIENTIFIQUES...

ET LE BÂTIMENT JUSTE À CÔTÉ EST CELUI POUR LEQUEL VOUS ÊTES VENUS... LA PREMIÈRE DIVISION

MAIS...

... L'AUTRE JOUR, IL Y A EU UN INCENDIE ET TOUT A BRÛLÉ...

COLONEL MUSTANG

ÇA NE M'EMPÊCHE PAS DE TRAVAILLER...

IL FAUT S'OCCUPER DU CAS SCAR

VOUS VOUS ÊTES REMIS DE VOTRE BLESSURE ?

OUI, GÉNÉRAL HAKURO !

SI ÇA CONTINUE, TOUTE LA RÉGION VA ÊTRE MISE EN ÉTAT D'ALERTE

JE VEUX DES RÉSULTATS, COLONEL, PAS DES EXCUSES !

NOUS ALLONS CONTINUER À FAIRE DE NOTRE MIEUX, IL FAUT JUSTE NOUS LAISSER UN PEU PLUS DE TEMPS...

VOUS POUVEZ M'EXPLIQUER COMMENT UNE SEULE PERSONNE PEUT CRÉER AUTANT DE TROUBLES ET POURQUOI AVEC TOUTES LES TROUPES MOBILISÉES VOUS N'ARRIVEZ PAS À METTRE LA MAIN DESSUS ?

C'EST RARE QU'IL VIENNE EXPRÈS DE NEW OPTAIN... ET IL N'A FAIT QUE SE PLAINDRE

IL A JUSTE PEUR DE PERDRE SA PLACE, N'Y FAITES PAS ATTENTION

IL N'AIME PAS VOIR DE JEUNES BLANCS-BECS COMME MOI AVEC UN RANG DE COLONEL...

DE PLUS, SI J'ARRIVE À RÉGLER CETTE AFFAIRE, JE SUIS CERTAIN QUE MA COTE VA GRIMPER À CENTRAL

C'EST TOUJOURS MIEUX DE RÉGLER LES PROBLÈMES RAPIDEMENT AVANT QU'ILS NE S'ACCUMULENT

MOI AUSSI, JE VEUX RÉSOUDRE L'AFFAIRE SCAR LE PLUS VITE POSSIBLE

JUSQU'À ATTEINDRE LA POSITION LA PLUS HAUTE DE L'ÉTAT ET CONTRÔLER LES FORCES ARMÉES...

« LE MALHEUR DES UNS FAIT LE BONHEUR DES AUTRES »

J'UTILISERAI TOUTES LES OCCASIONS QUI SE PRÉSENTERONT POUR MONTER EN GRADE...

VOUS FERIEZ MIEUX DE GARDER CES PAROLES POUR VOUS

OUI

J'ESSAYERAI D'Y FAIRE ATTENTION

Tac

DU NOUVEAU, GLUTTONY ?

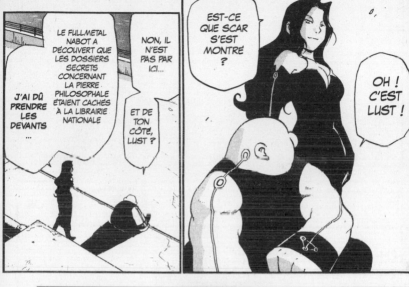

J'AI DÛ PRENDRE LES DEVANTS...

LE FULLMETAL NABOT A DÉCOUVERT QUE LES DOSSIERS SECRETS CONCERNANT LA PIERRE PHILOSOPHALE ÉTAIENT CACHÉS À LA LIBRAIRIE NATIONALE

NON, IL N'EST PAS PAR ICI...

ET DE TON CÔTÉ, LUST ?

EST-CE QUE SCAR S'EST MONTRÉ ?

OH ! C'EST LUST !

JE PENSE QU'IL N'EST PLUS NÉCESSAIRE DE SURVEILLER LE NABOT, C'EST POUR ÇA QUE JE SUIS VENUE PRENDRE DE TES NOUVELLES...

POUR PLUS DE COMMODITÉ, J'AI BRÛLÉ TOUT LE BÂTIMENT

ÉVIDEMMENT, IL Y AVAIT TELLEMENT DE LIVRES QUE JE N'AI PAS PU TROUVER LE DOCUMENT

sniff sniff

HU ?

UNE ODEUR... UNE ODEUR...!

sniff

GLUTTONY ?

HOP !

À CE QUE JE VOIS, ÇA N'A PAS BEAUCOUP PROGRESSÉ...

IL Y A UN HABITANT D'ISHBAL PRÈS D'ICI QUI EST IMPRÉGNÉ D'UNE ODEUR DE SANG...

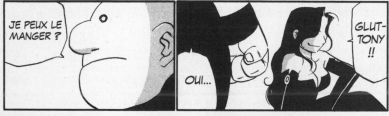

JE PEUX LE MANGER ?

OUI...

GLUTTONY !!

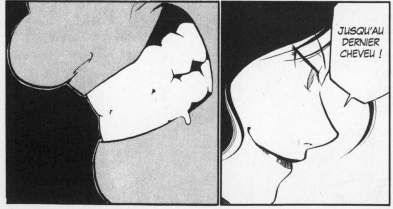

JUSQU'AU DERNIER CHEVEU !

TIM MARCOH...

VOYONS VOIR...

S'IL N'EST PAS DANS LA LISTE, C'EST QU'IL N'EXISTE PAS OU QU'IL A ÉTÉ DÉTRUIT DANS L'INCENDIE

NOUS LE TENONS À JOUR DE MANIÈRE TRÈS PRÉCISE, TOUS LES OUVRAGES DE LA BIBLIO-THÈQUE SONT DEDANS...

IL N'EST PAS DANS NOTRE REGISTRE...

DOCUMENT CONCER-NANT LA PIERRE PHILO-SOPHALE DE TIM MARCOH...

INFORM

VOUS ALLEZ BIEN, AU MOINS ?

PAS... BIEN...

MERCI POUR VOTRE AIDE

HEIN...?

EUH... VOUS M'ÉCOU-TEZ ?

EN FAIT, C'EST UN VRAI RAT DE BIBLIOTHÈQUE...

AU COU-RANT... CE N'EST PAS LE MOT...

OUI, OUI !

LA FILLE QUI BOSSAIT À LA PREMIÈRE DIVISION...

AH... PEUT-ÊTRE QUE SCIESZKA EST AU COURANT...

QUI ? QUELQU'UN AU COURANT DES LIVRES QUI ONT CRAMÉ ?

L'ADRESSE DE SCIESZKA NE DOIT PAS ÊTRE DURE À TROUVER

VOUS VOULEZ LA RENCON-TRER ?

ON VA ENTRER...

Gnniii

JE PENSE QU'ELLE EST LÀ, VU QUE LA LUMIÈRE EST ALLUMÉE

Toc

ELLE N'EST PAS LÀ ?

Toc
Toc
Toc

PER- SONNE ?

SWOOSH...

C'EST POSSIBLE QUE QUEL- QU'UN VIVE LÀ-DEDANS ?!

OUAH ! C'EST QUOI, CETTE MONTAGNE DE LIVRES ?

AU SECOUS...

AU...

À PREMIÈRE VUE, JE NE PENSE PAS QUE QUEL- QU'UN VIVE ICI...

HO ! HÉ !

MADE- MOISELLE SCIESZKA !

VOUS ÊTES LÀ ?

À L'AIDE...

JE PENSAIS VRAIMENT MOURIR ICI...

MERCI DE M'AVOIR SAUVÉE

DÉSOLÉE, DÉSOLÉE ! JE VOUS PRIE DE M'EXCUSER ! PARDON ! UNE PILE DE LIVRES S'EST EFFONDRÉE SUR MOI...

BADA

BLAM

EDWARD, IL Y A QUEL-QU'UN !!

QUEL-QU'UN EST ENSEVELI ICI !!

VITE ! CREU-SE !

MAIS JE DOIS AIMER LES LIVRES UN PEU TROP...

J'AIME BEAUCOUP LES LIVRES ! IMAGINEZ MON BONHEUR QUAND J'AI DÉCROCHÉ CE POSTE À LA BIBLIOTHÈQUE NATIONALE !

ENCHAN-TÉE, JE SUIS SCIESZKA

Bah ! de rien...

JE N'ARRÊTAIS PAS DE LIRE PENDANT MON SERVICE, ALORS JE ME SUIS FAIT VIRER...

FLÛTE

Scieszka, vous êtes encore en train de lire ?!

HEU... VOUS ÊTES SÛR QUE ÇA VA ?

JE SUIS VRAIMENT BONNE À RIEN, UN DÉCHET POUR LA SOCIÉTÉ...

SNIRF SNIRF SNIRF SNIRF SNIRF

AH... JE SUIS UNE VRAIE GOURDE... À PART LIRE DES LIVRES JE NE SAIS STRICTEMENT RIEN FAIRE. JE NE RISQUE PAS DE RETROUVER DU TRAVAIL...

JE DOIS M'OCCUPER DE MA MÈRE MALADE, C'EST POUR ÇA QUE J'AVAIS BESOIN D'UN EMPLOI...

EST-CE QUE LE NOM DE TIM MARCOH VOUS DIT QUELQUE CHOSE ?

J'AVAIS JUSTE UNE QUESTION...

C'ÉTAIT ASSEZ ÉTRANGE, CAR D'HABITUDE LES LIVRES SONT IMPRIMÉS À LA MACHINE, MAIS CELUI-LÀ ÉTAIT ÉCRIT À LA MAIN. EN PLUS IL N'ÉTAIT PAS CLASSÉ COMME SI ON L'AVAIT GLISSÉ LÀ SANS FAIRE ATTENTION...

AH OUI ! JE ME SOUVIENS !

TIM MARCOH... MARCOH...

DONC IL ÉTAIT BIEN CACHÉ À LA PREMIÈRE DIVISION !

VOUS VOULIEZ LIRE CE LIVRE ?

EUH...

DÉSOLÉ DE VOUS AVOIR DÉRANGÉE

RETOUR À LA CASE DÉPART...

Beuh Euh

Beuh Ouh

DÉCEPTION

CE QUI VEUT DIRE QUE L'INCENDIE L'A BIEN DÉTRUIT...

EN FAIT, J'AI MÉMORISÉ TOUT SON CONTENU

OUI, MAIS MAINTENANT CE N'EST PLUS POSSIBLE...

EN FAIT... OUI

PARDON ?!

À LA VIRGULE PRÈS

JE ME SOUVIENS DE TOUS LES LIVRES QUE J'AI LUS AU MOINS UNE FOIS

CATCH

RAT...

MERCI, Ô RAT DE BIBLIOTHÈQUE !

ÇA VA PRENDRE UN PEU DE TEMPS, MAIS JE PEUX LE RÉÉCRIRE

TADAM

VOILÀ UNE COPIE DU RAPPORT DE MONSIEUR TIM MARCOH

EXCUSEZ-MOI, IL Y AVAIT BEAUCOUP DE PAGES, DONC ÇA M'A PRIS CINQ JOURS

PLAF

AL, IL Y A VRAIMENT DES GENS IMPRESSIONNANTS SUR TERRE... NON ?

ELLE L'A VRAIMENT FAIT...

OUI ! TOUT À FAIT !

C'EST VRAIMENT DE MONSIEUR MARCOH ?

JE VOIS, VU LA TAILLE DU RAPPORT IL AURAIT EU DU MAL À S'ÉCHAPPER AVEC...

QUOI ?

« MILLE RECETTES DE CUISINE AU QUOTIDIEN »

LE LIVRE DE CUISINE ÉCRIT PAR TIM MARCOH

IMPORTANT ? PARDON ? JE N'AI FAIT QUE RECOPIER CE QUE J'AVAIS LU...

VOUS POUVEZ ME DIRE EN QUOI CE LIVRE EST IMPORTANT ?

C'EST VRAIMENT UN LIVRE DE RECETTES

« ...UNE GRANDE CUILLERÉE DE SUCRE. AJOUTEZ UN PEU D'EAU... »

JE SUIS DÉSOLÉ, C'ÉTAIT ENCORE UNE FAUSSE PISTE...

C'EST PEUT-ÊTRE QUELQUE CHOSE ÉCRIT PAR UN HOMO-NYME...

HÉ HE

C'EST GÉNIAL

MERCI !

VOUS ÊTES CERTAINE QU'IL A BIEN ÉTÉ ÉCRIT PAR TIM MARCOH ET QUE VOUS L'AVEZ RECOPIÉ À LA VIRGULE PRÈS ?

OUI, ILS ONT SUFFISAMMENT DE DICTIONNAI-RES...

ALPHONSE, ON EMBARQUE TOUT ET ON RETOURNE À LA BIBLIO-THÈQUE NATIONALE

BIEN !

OUI, À LA VIRGULE PRÈS !

SOUS-LIEUTENANT ROSS ! VOICI MON NUMÉRO, MA SIGNATURE ET MA MONTRE EN ARGENT COMME PREUVE

Scritch
Scritch

OUPS ! J'ALLAIS OUBLIER

SCIESZKA, MERCI ENCORE !

À BIENTÔT !

OUI...

RENDEZ-VOUS À L'ADMINISTRATION CENTRALE, RETIREZ LA SOMME D'ARGENT INDIQUÉE SUR LE PAPIER DE MON FONDS DE RECHERCHE ET DONNEZ-LA À SCIESZKA !

COMMENT PEUT-IL SE PERMETTRE DE DONNER UNE TELLE SOMME SI FACILEMENT !?

C'EST QUOI, CETTE SOMME ?!!

DU FONDS DE RECHER-CHE...

plic

KLANG

EN FAIT, LES ALCHIMISTES D'ÉTAT VONT À L'ENCONTRE DE CETTE DEVISE... DONC ON LES TRAITE DE : « CHIENS-CHIENS DE L'ARMÉE »

TANT QUE L'ALCHIMIE EXISTERA DANS CE MONDE, ELLE NE DEVRA ÊTRE MISE EN PRATIQUE QUE SI ELLE A POUR OBJECTIF DE FAIRE LE BIEN, SANS DISTINCTION. C'EST LA DEVISE DES ALCHIMISTES

« L'ALCHIMIE DOIT SEULEMENT SERVIR AU BIEN DU PEUPLE »

ET VOUS ALLEZ ME DEMANDER : « COMMENT GARDENT-ILS LE SECRET ? »

TOUT À FAIT !

CE SERAIT EMBÊTANT SI CE SAVOIR-FAIRE SE RÉPANDAIT DANS LA NATURE ET QUE CERTAINS EN ABUSENT...

PLAC

D'AUTRE PART, LES ALCHIMISTES DOIVENT GARDER LEURS TECHNIQUES SECRÈTES DU GRAND PUBLIC

POUR LES GENS NORMAUX, C'EST JUSTE UN LIVRE DE RECETTES...

EH BIEN, ILS CRYPTENT TOUS LEURS DOCUMENTS MANUSCRITS

MAIS IL UTILISE DE NOMBREUSES MÉTAPHORES ET AUTRES ALLÉGORIES POUR CAMOUFLER SON SUJET RÉEL. SEUL CELUI QUI L'A ÉCRIT PEUT VRAIMENT LE COMPRENDRE...

IL FAUT FAIRE PREUVE DE CONNAISSANCE, DE CONCENTRATION ET DE PATIENCE POUR CE TRAVAIL

SEUL CELUI QUI L'A ÉCRIT...

COMMENT ALLEZ-VOUS POUVOIR LE DÉCHIFFRER ?

DE PLUS, CERTAINES PERSONNES PENSENT QUE L'ALCHIMIE EST DÉRIVÉE DE LA CUISINE...

JE PENSE QUE C'EST PLUS SIMPLE QUAND C'EST ÉCRIT SOUS FORME DE LIVRE DE RECETTES...

OUAH ! C'EST VRAIMENT IMPRESSIONNANT

ESSAYONS UN PEU DE PERCER CE CODE AFIN DE DÉCOUVRIR CE QUI SE CACHE DERRIÈRE

BIEN !!

Yeah !

ah bon ?

PAR EXEMPLE, LES RAPPORTS D'EDWARD SONT ÉCRITS SOUS FORME DE CARNETS DE ROUTE. MÊME MOI, JE N'ARRIVE PAS À COMPRENDRE...

À CE PROPOS, IL PARAÎT QUE LES RAPPORTS DE ROY MUSTANG SONT ÉCRITS ENTIÈREMENT AVEC DES NOMS DE FEMMES...

Aujourd'hui j'ai dîné avec Joséphine à l'hôtel

Encore un rendez-vous galant ?

76

EDWARD, ÇA SERAIT PLUS SIMPLE D'ALLER DEMANDER À MONSIEUR MARCOH DIRECTEMENT...

IL EST VACHEMENT DIFFICILE, CE CRYPTAGE...

UNE SEMAINE PLUS TARD...

BOOOO

ON DOIT Y ARRIVER TOUT SEUL !

NON, C'EST UN DÉFI LANCÉ PAR LE DOCTEUR MARCOH ! LES GENS QUI N'ARRIVENT PAS À DÉCHIFFRER UN TEL MESSAGE NE SONT PAS DIGNES DE CONNAÎTRE LA VÉRITÉ...

DITES...

MAIS JE PIGE VRAIMENT RIEN !

JE NE SAIS PAS COMMENT VOUS REMERCIER

GRÂCE À VOUS, J'AI PU CHANGER MA MÈRE D'HÔPITAL

DE RIEN, DE RIEN

ON M'A DIT QUE VOUS ÉTIEZ ICI, ALORS JE SUIS VENUE VOUS RENDRE UNE PETITE VISITE

Bonjour

SCIESZKA !!

SI ON TIENT COMPTE DE LA VALEUR DE CE DOCUMENT, C'ÉTAIT PLUTÔT BON MARCHÉ

AH NON, PAS DE PROBLÈME

VOUS ÊTES CERTAIN DE NE PAS VOUS ÊTRE TROMPÉ SUR LE MONTANT QUE VOUS M'AVEZ DONNÉ ?

VOUS AVANCEZ DANS LE DÉCHIFFRAGE ?

DONC ...

JE VOIS...

EN FAIT, IL Y A UN MESSAGE CACHÉ À L'INTÉRIEUR...

BOOOOOO

BOOOOOO

ET VOUS, VOUS AVEZ TROUVÉ DU TRAVAIL ?

AH ! POUR L'ARGENT ? CE N'EST RIEN...

MERCI ENCORE POUR TOUT...

JE NE VAIS PAS TARDER À RENTRER

MERCI

MAIS J'ÉTAIS SURTOUT HEUREUSE DE TRAVAILLER ET DE RENDRE SERVICE, POUR UNE FOIS QUE JE PEUX ÊTRE UTILE

OUI, L'ARGENT, C'EST UNE CHOSE...

MERCI !

HÉ HÉ

ET VOUS AVEZ UNE MÉMOIRE D'ÉLÉPHANT, C'EST PLUTÔT UTILE

LE FAIT DE POUVOIR SE CONCENTRER DE TOUTES SES FORCES, C'EST UN VRAI TALENT

VOUS SAVEZ, VOUS N'ÊTES PAS UNE BONNE À RIEN

SALUT, LA COM-PAGNIE !

Crac Crac

IL Y A EU PAS MAL D'EMBROUILLES RÉCEMMENT ET JE NE SAVAIS PLUS OÙ DONNER DE LA TÊTE

LE COLONEL M'A DIT QUE VOUS ÉTIEZ DANS LE COIN ! VOUS AURIEZ PU PASSER ME SALUER !

LIEUTE-NANT HUGHES

ON N'A TOUJOURS PAS RÉSOLU L'AFFAIRE DES CHIMÈRES DE TUCKER

MAIS C'EST QUOI, CES GOSSES ...?

ILS PLAI-SANTENT AVEC LE LIEUTE-NANT ?

EN FAIT, MOI AUSSI J'ÉTAIS SUPER-DÉBORDÉ ET JE N'AI PAS PU VENIR PLUS TÔT

OUI, MAIS ON AVAIT UNE AFFAIRE URGENTE...

psss psss

psss

HA HA HA

OUPS !

DÉSOLÉ DE RESSASSER DE MAUVAIS SOUVENIRS...

JE VAIS RETOURNER À MON BUREAU

OUI, C'EST MA MANIÈRE À MOI DE ME DÉTENDRE

ET MALGRÉ TOUT VOTRE TRAVAIL, VOUS TROUVEZ LE TEMPS DE VENIR NOUS VOIR ?

COMME SI JE N'AVAIS PAS ASSEZ DE TRAVAIL, IL Y A EU CET INCENDIE À LA BIBLIOTHÈQUE NATIONALE... PFFF

HEEEUUUU...

OUI, LA PREMIÈRE DIVISION...

COMME LA BIBLIOTHÈQUE EST À CÔTÉ DE MON SERVICE, ON Y STOCKAIT TOUS LES REGISTRES CONCERNANT LES AFFAIRES PASSÉES...

DONC TOUS NOS DOCUMENTS ONT DISPARU EN MÊME TEMPS QUE LE RESTE...

QUOI ? CETTE FILLE A LU NOS FICHIERS ET SE SOUVIENT DE TOUT ? ÇA PEUT ÊTRE UTILE !

ÇA TOMBE BIEN, LIEUTENANT, ELLE CHERCHE DU BOULOT EN CE MOMENT

OUI C'EST VRAI, J'AI LU TOUS CES RAPPORTS CRIMINELS, JE M'EN SOUVIENS PARFAITEMENT...

AH !!?

JE RÊVE !?

HÉ ? HEU... EN FAIT...

HA HA HA HA HA HA HA HA HA HA HA HA

TU VERRAS, C'EST BIEN PAYÉ !

OK, ON VA SIGNER TON CONTRAT D'EMBAUCHE TOUT DE SUITE !

ENCORE UNE FOIS, MERCI POUR TOUT !

MERCI BEAUCOUP !

JE VAIS FAIRE DE MON MIEUX POUR CE NOUVEAU TRAVAIL !

HEU... VOUS DEUX !...

On dirait un kidnapping

HA, HA, HA !

MERCI

FROTTE   FROTTE

... ET ÇA VIENT DU CŒUR

C'EST VALABLE POUR UNE CERTAINE PERSONNE AUSSI...

C'EST DE TOI, FRÉROT ?

« LE FAIT DE POUVOIR SE CONCENTRER DE TOUTES SES FORCES, C'EST UN VRAI TALENT »

BON, SI JE COMPRENDS BIEN, IL NE RESTE PLUS À CETTE « CERTAINE PERSONNE » QU'À SE CONCENTRER DE TOUTES SES FORCES ...

HÉ, HÉ !

NON

VOUS VOUS DISPUTEZ ? CALMEZ-VOUS...

NON, ON A RÉSOLU...

QUE SE PASSE-T-IL ?

JE CROIS QU'EDWARD EST DANS CET ÉTAT CAR IL N'ARRIVE PAS À DÉCHIFFRER LE MESSAGE...

NON, C'EST PAS BIEN DU TOUT, BORDEL !

OH ! C'EST VRAI ! C'EST TRÈS BIEN !

LE CRYPTAGE

NOUS AVONS RÉUSSI...

BLAM

JE COMPRENDS MAINTENANT...

MARCOH AVAIT DIT QUE C'ÉTAIT « L'ENFER SUR TERRE »

L'INGRÉDIENT PRINCIPAL DE LA PIERRE PHILOSOPHALE...

QU'EST-CE QUI SE PASSE... ?

CE SONT... DES VIES HUMAINES !!

CETTE PIERRE EST D'UN ROUGE SOMBRE COMME LE SANG
ELLE PROMET LA JOIE AUX MALHEUREUX, LA VICTOIRE AUX GUERRIERS, LA LUEUR AUX TÉNÈBRES ET LA RÉSURRECTION AUX MORTS...
LES GENS L'APPELLENT :
" LA PIERRE PHILOSOPHALE "

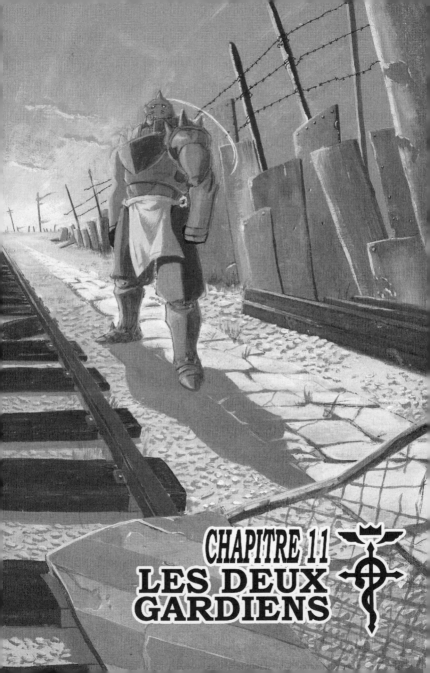

CHAPITRE 11
LES DEUX
GARDIENS

FULLMETAL
ALCHEMIST

... CAR SI CE RAPPORT EST FIABLE, IL FAUT SACRIFIER DES VIES HUMAINES POUR CRÉER LA PIERRE...

C'ÉTAIT PEUT-ÊTRE MIEUX POUR NOUS DE NE PAS LE SAVOIR...

DE PLUS, POUR OBTENIR UNE PIERRE TOTALEMENT PURE, IL FAUT FAIRE UN ÉNORME SACRIFICE...

SOUS-LIEUTENANT ROSS... SERGENT BROCHE...

CE GENRE DE PRATIQUES EST INTERDIT !

JE NE PEUX PAS CROIRE QUE L'ARMÉE AIT MENÉ DE TELLES RECHERCHES !!

MAIS
...

JE VOUS EN PRIE !

POURRIEZ-VOUS GARDER TOUT CELA SECRET... ?

FAITES COMME SI VOUS N'AVIEZ RIEN ENTENDU AUJOURD'HUI... S'IL VOUS PLAÎT...

WOW !

JE NE SAIS PAS...

C'EST PEUT-ÊTRE UN ATTENTAT...

UNE EXPLOSION DE GAZ ?

OH ! LA, TOUT MAIS PAS ÇA, PITIÉ...

ON N'A TOUJOURS PAS RÉSOLU L'AFFAIRE SCAR...

ÇA PÈTE DE PARTOUT EN CE MOMENT...

93

VOUS AVEZ UNE IDÉE ?

C'EST QUOI, ÇA ?

ON CHERCHE, MAIS JE NE SAIS PAS COMBIEN DE TEMPS ÇA VA PRENDRE DE RETOURNER TOUS CES GRAVATS...

VOUS AVEZ TROUVÉ LE CORPS ?

JE SUIS CERTAINE QU'IL S'AGIT DU MANTEAU DE SCAR...

JE VOIS...

VU LE SANG SUR SON MANTEAU, JE DIRAIS QU'IL DOIT ÊTRE SALEMENT AMOCHÉ

OUI ?

SOUS-LIEUTENANT HAVOC !

ON NE PEUT PAS SE RELÂCHER TANT QU'ON N'A PAS CONFIRMÉ SA MORT...

94

VOTRE ÉQUIPE SE CHARGERA DE FOUILLER LES DÉCOMBRES

VOUS NE DORMIREZ PAS TANT QUE VOUS N'AUREZ PAS TROUVÉ SON CORPS !

HEIN ?

VOUS VOULEZ NOUS TUER À LA TÂCHE, OU QUOI ?

TAISEZ-VOUS !

TANT QUE JE N'AI PAS RÉSOLU CETTE AFFAIRE, JE NE PEUX PAS AVOIR DE RENDEZ-VOUS GALANT L'ESPRIT TRANQUILLE

AH ! JE VOIS

...

OUI, BEN, ÇA SERA POUR LA PROCHAINE FOIS

J'AI RATÉ UN BON REPAS

TU L'AS LAISSÉ S'ÉCHAPPER...

EN TOUT CAS, IL NE DEVRAIT PAS POSER DE PROBLÈMES PENDANT UN CERTAIN TEMPS...

JE VAIS DEVOIR RETOURNER À CENTRAL...

... POUR ALLER FAIRE MON RAPPORT À « PAPA »...

HUUUM MM...

OUI, ILS N'ONT MÊME PAS MANGÉ AUJOURD'HUI

COMMENT ? LES FRÈRES ELRIC SONT ENCORE ENFERMÉS DANS LEUR CHAMBRE...

OUI...

ILS TRA-VAILLENT TROP DUR, CES DERNIERS TEMPS

ILS DOIVENT ACCUMULER UNE CERTAINE DOSE DE FATIGUE...

MOI AUSSI, RIEN QUE D'Y PENSER J'AI LA NAUSÉE

ÇA A DÛ LEUR FAIRE UN CHOC

C'EST NORMAL...

ILS ONT PASSÉ TELLEMENT DE TEMPS À DÉCHIFFRER CE DOCUMENT... POUR CE RÉSULTAT...

À CHAQUE FOIS, ON LA TOUCHAIT DU DOIGT SANS JAMAIS L'ATTRAPER...

C'ÉTAIT TOUJOURS PAREIL...

C'EST RAGEANT, NON ?...

OUI...

ENFIN CETTE PIERRE...

ON DIRAIT BIEN QUE DIEU N'AIME PAS BEAUCOUP CEUX QUI TRANSGRESSENT SES RÈGLES

HA, HA !

MAIS CETTE FOIS, ON A RÉUSSI ET TOUS NOS ESPOIRS SE SONT BRISÉS AVEC ELLE...

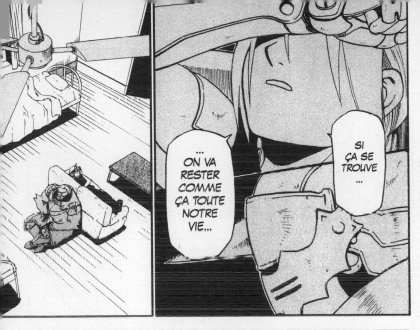

... ON VA RESTER COMME ÇA TOUTE NOTRE VIE...

SI ÇA SE TROUVE...

QUOI ?

IL Y A QUELQUE CHOSE QUE JE VOULAIS TE DIRE DEPUIS LONG-TEMPS SANS AVOIR LE COURAGE DE LE FAIRE...

ALPHON-SE...

!?

PAC

ILS SONT
EN TRAIN
DE SE
REPOSER...

PAC PAC

NON
ATTENDEZ !

HEY !

CRAC

blam

C'EST
FERMÉ...
ON FAIT
COMME SI
ON N'ÉTAIT
PAS LÀ !

FAIS LE
MORT !

ON...
ON
FAIT
QUOI
?

C'EST MOI !
OUVREZ
LA PORTE !

TOC
TOC
TOC

LES
FRÈRES
ELRIC !!
VOUS ÊTES
LÀ DEDANS
?

TOC
TOC

WAAAAAH...

VLAM

ON M'A
TOUT
RACONTÉ,
EDWARD
ELRIC !

SNIF SNIF

QUELLE TRAGÉDIE !!

LA PIERRE PHILOSOPHALE CACHAIT DONC UN SI TERRIBLE SECRET !

SANS COMPTER QUE CES RECHERCHES DIABOLIQUES ONT ÉTÉ MENÉES SOUS LA DIRECTION DE L'ARMÉE...

JE NE PEUX PAS LAISSER PASSER ÇA !

PARDON... ON N'A PAS PU RÉSISTER... ON ÉTAIT ÉTOUFFÉS PAR SA PRÉSENCE...

EX... EXCUSEZ-NOUS...

...

OUI, OUI ! IL A BESOIN DE LA PIERRE PHILOSO-PHALE POUR RETROUVER SON CORPS D'ORIGINE

HAAA... OUI... VOUS VOUS SOUVENEZ, CETTE GUERRE À L'EST... EH BIEN...

VOUS AVEZ UNE PROTHÈSE AU BRAS DROIT ?

QUOI ?

HUM... LA VÉRITÉ EST SOUVENT CRUELLE...

AH ! JE COM-PRENDS, C'EST VRAIMENT TRISTE...

CE QU'IL A DIT À LA GARE...

QUOI ?

TU TE SOUVIENS DES PA- ROLES DE MONSIEUR MARCOH ?

LA VÉRITÉ ...?

IL Y A UN PROBLÈME, EDWARD ?

« SACHE QUE LA VÉRITÉ EST ENCORE PLUS TERRIFIANTE SI TU CHERCHES EN PROFON- DEUR... »

JE VOIS... IL Y A AUTRE CHOSE...

AUTRE CHOSE ...

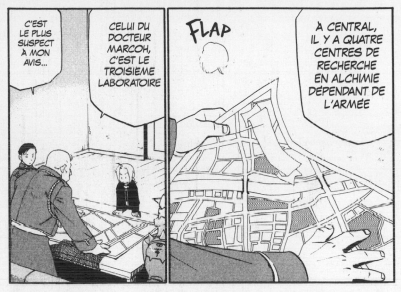

C'EST LE PLUS SUSPECT À MON AVIS...

CELUI DU DOCTEUR MARCOH, C'EST LE TROISIÈME LABORATOIRE

FLAP

À CENTRAL, IL Y A QUATRE CENTRES DE RECHERCHE EN ALCHIMIE DÉPENDANT DE L'ARMÉE

J'AI VISITÉ LES DIFFÉRENTS CENTRES LORSQUE J'AI PASSÉ MON EXAMEN D'ALCHIMISTE D'ÉTAT... MAIS POUR CELUI-LÀ EN PARTICULIER... IL N'Y AVAIT RIEN DE BIEN IMPRESSIONNANT

HUM ...

LÀ ...

C'EST QUOI, CE BÂTIMENT ?

IL Y A DES RISQUES D'EFFONDREMENT DONC SON ACCÈS EST INTERDIT

PAR LE PASSÉ, C'ÉTAIT LE CINQUIÈME LABORATOIRE, MAIS AUJOURD'HUI IL N'EST PLUS EN ACTIVITÉ

PARCE QU'IL Y A UNE PRISON JUSTE À CÔTÉ !

EH ? QU'EST-CE QUI TE FAIT CROIRE QUE... ?

C'EST ÇA !

SI C'EST VRAI QU'IL FAUT SACRIFIER DES VIES HUMAINES POUR FAIRE LA PIERRE PHILOSOPHALE... IL FAUT UN ENDROIT POUR... FOURNIR DES HUMAINS...

MAIS ...?

AINSI ILS PEUVENT FAIRE CROIRE À LEUR EXÉCUTION MAIS LES UTILISER SECRÈTEMENT DANS LE LABO-RATOIRE...

... AFIN DE CRÉER LA PIERRE PHILOSO-PHALE

SI JE ME SOUVIENS BIEN, LES CORPS DES CONDAMNÉS À MORT NE SONT PAS RENDUS AUX FAMILLES

FAITES PAS CETTE TÊTE, MOI AUSSI ÇA ME DEGOÛTE, HEIN...

... DES PRISONNIERS COMME MATIÈRE PREMIÈRE...

SI ON S'EN TIENT À CETTE THÉORIE, LE LABORATOIRE LE PLUS PROCHE DE LA PRISON EST AUSSI LE PLUS SUSPECT... VOUS NE PENSEZ PAS ?

SI LA PRISON EST LIÉE À CETTE AFFAIRE, LE GOUVERNE-MENT DOIT ÊTRE IMPLI-QUÉ AUSSI

RESTE À VOIR S'IL S'AGIT JUSTE DU DIRECTEUR DE LA PRISON OU VENANT D'UN PLUS HAUT NIVEAU

Central prison

IL EST AUSSI POSSIBLE QUE LES AGISSE-MENTS DE CE LABORATOIRE SOIENT INDÉ-PENDANTS DE L'ÉTAT

OUI, MAIS POUR LE MOMENT, NOUS N'EN SOMMES QU'AUX SUP-POSITIONS ...

J'AI L'IMPRESSION QU'ON S'IMPLIQUE DANS QUELQUE CHOSE DE LOUCHE...

C'EST POUR ÇA QUE JE VOUS AVAIS DIT D'OUBLIER CE QUE VOUS AVIEZ ENTENDU

OUI

105

L'ALCHIMISTE AU SANG FROID, LE GÉNÉRAL DE BRIGADE BASQUE GRAN...

QUI EST LE RESPONSABLE DE CE CENTRE DE RECHERCHE ?

IL S'EST FAIT TUER PAR SCAR !

ÇA RISQUE D'ÊTRE DIFFICILE...

ON POURRA PEUT-ÊTRE TIRER QUELQUES INFORMATIONS DE CE GÉNÉRAL DE BRIGADE...

JE VAIS MENER MON ENQUÊTE DE MON CÔTÉ, JE VOUS TIENDRAI AU COURANT

MAIS S'IL Y A DES SUPÉRIEURS DU GÉNÉRAL DE BRIGADE GRAN IMPLIQUÉS DANS CETTE AFFAIRE, ÇA RISQUE DE DEVENIR COMPLIQUÉ...

IL EST POSSIBLE QUE CERTAINS, AU COURANT DE LA VÉRITÉ, AIENT ÉTÉ TUÉS AUSSI...

SCAR A FAIT LE MÉNAGE DANS LES ALCHIMISTES D'ÉTAT HAUT GRADÉS

C'EST DE NOTRE FAUTE SI ON A DES CORPS COMME ÇA AUJOURD'HUI...

C'EST DONC À NOUS DE TROUVER DES SOLUTIONS À NOTRE PROBLÈME...

ET PUIS QUOI ENCORE ?

PAC PAC PAC

HUM ...?

POURQUOI AVOIR POSTÉ UN GARDE ALORS QUE LE BÂTIMENT EST ABANDONNÉ ?

108

COMMENT VA-T-ON ENTRER ?

C'EST ÉTRANGE EN EFFET...

SI TU FAIS ÇA, ON RISQUE DE SE FAIRE REPÉRER À CAUSE DU FLASH LUMINEUX

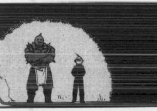

ON PEUT TOUJOURS SE CRÉER UNE ENTRÉE...

HOP!

DEUX

UN

DONC... BAH...

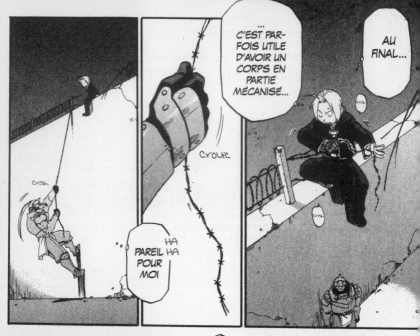

ON DIRAIT QUE ÇA S'ENFONCE DANS LE BÂTIMENT...

DE TOUTE FAÇON, AVEC TON CORPS, TU N'AURAIS PAS PU RENTRER

Hop!

TU ES CERTAIN QUE ÇA IRA ?

ALPHONSE, TU VAS ATTENDRE ICI

JE L'AI PAS CHOISI, CE CORPS, MOI...

DÉCEPTION

BON, J'Y VAIS

MMM
... ?

QUOI,
66 ?

48!

HÉ !!

HUM,
J'ESPÈRE
QU'ON
VA BIEN
S'AMUSER
AVEC EUX

DEBOUT !
ÇA FAIT
LONGTEMPS
QU'ON N'A
PAS EU DE
VISITEURS...

...
HÉ !
HO !

ILS SONT
SEULEMENT
DEUX, UN
PETIT ET UN
GROS AVEC
UNE ARMURE
FANTAISISTE

IL NE FAUT
PAS EN
ATTENDRE
TROP...

JE TE
LAISSE
LE
MINUS

HÉ,
HÉ,
HÉ !

TU T'ES
REGARDÉ
DANS UNE
GLACE ?

FANTAI-
SISTE...
?

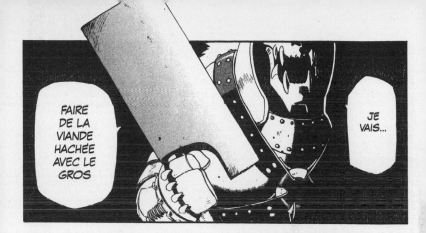

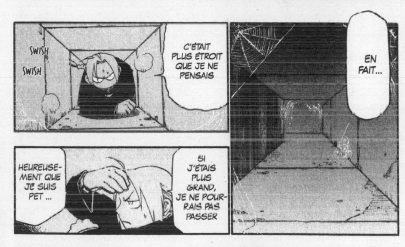

YOP

... LÀ

ET VOI...

B LAM

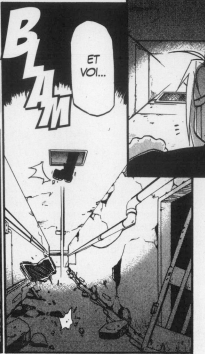

IL Y A ENCORE UNE LUMIÈRE SUFFISANTE POUR CIRCULER...

BINGO !

QUI A DIT QUE CE BÂTIMENT N'ÉTAIT PLUS EN ACTIVITÉ ?

117

JE TE LE RÉVÉLERAI AVANT DE T'ACHEVER !

HÉ HÉ HÉ HÉ HÉ HÉ HÉ HÉ HÉ

J'AI UN VRAI NOM, MAIS SI TU LE CONNAISSAIS, TU TE PISSERAIS DESSUS

JE T'ASSURE QUE TU VAS BIEN SOUFFRIR !

SHLING

HÉ, HÉ, HÉ !

JE VAIS TE TAILLER EN TRANCHES !

VOUS ALLEZ ME TUER ?

C'EST...
POUR
SYNTHÉTISER
LA PIERRE
PHILOSOPHALE
?

TOUT
À FAIT !

QU'EST-
CE QUE
C'EST...

SWOOSH

MORVEUX, JE NE SAIS PAS QUI TU ES. MAIS TU AS L'AIR D'ÊTRE AU COURANT POUR LA PIERRE...

POUR TOI, MON NOM SERA NUMBER 48

ON M'A DEMANDÉ DE GARDER CET ENDROIT !

PAREIL...

N'Y VOIS RIEN DE PER- SONNEL, GAMIN...

J'AI REÇU L'ORDRE D'ÉLIMINER TOUS LES INTRUS QUI PÉNÈTRENT DANS CE BÂTIMENT

SHLING

« N'Y VOIS RIEN DE PERSONNEL », MAIS JE VAIS DEVOIR TE TRANCHER EN DEUX !

CLAP !

SWING

VOILA DE L'ALCHI-MIE...

OH...

SWOSH

DONC...

IL EST RAPIDE !

MONTRE-MOI UN PEU TES TOURS !

122

MAIS ...!

TON ÉPAULE EST AUSSI EN MÉTAL ?

TU L'AS ÉCHAPPÉ BELLE

DÉCONNE PAS ! SI JE LE CASSE ENCORE UNE FOIS, WINRY VA ME TUER !

DOM

MON ÉPÉE TRANSPERCE MÊME LE MÉTAL !

KL-ING!

BLAM

DONNG

!!

DONNGG DOONNG

HUM !

Crish Crish

HÉ ! MAIS ÇA SONNE CREUX...

D O O O N N N G G G G

QUAND J'AVAIS ENCORE UN CORPS, J'ÉTAIS UN SERIAL KILLER CONNU SOUS LE NOM DE SLICER

48, C'EST MON MATRICULE DE CONDAMNÉ À MORT

LAISSE-MOI ME PRÉSENTER...

OFFICIELLEMENT J'AI ÉTÉ TUÉ IL Y A DEUX ANS...

ÇA VEUT DIRE QUE TU AS UN SCEAU QUI FAIT LE LIEN ENTRE TON ÂME ET TON CORPS...

MAIS EN FAIT, J'AI ÉTÉ SÉLECTIONNÉ POUR SERVIR DE COBAYE À DES EXPÉRIENCES

ET MAINTENANT JE SUIS UN CHIEN DE GARDE

KLANG

BIEN...

LE SYMBOLE DE SANG EST ICI

MMM... DONC JE N'AI PAS BESOIN DE TOUT T'EXPLIQUER...

JE N'Y CONNAIS RIEN EN ALCHIMIE

SI TU LE BRISES, TU AS GAGNÉ

MAIS, VISIBLEMENT, LE SANG SERT À RETENIR L'ÂME, ET LE FER QU'IL CONTIENT SE SYNCHRONISE AVEC L'ARMURE

VOUS NE POURRIEZ PAS SEULEMENT ME LAISSER PASSER ?

ON NE SAIT JAMAIS...

HA, HA, HA ! JE SUIS DU GENRE À PIMENTER MES COMBATS !

et je ne suis pas vieux

Cling

C'EST UN PEU VIEUX JEU DE MONTRER SON POINT FAIBLE À SON ENNEMI, NON ?

TU SAIS,
LES TUEURS NE
LAISSENT
JAMAIS
S'ÉCHAPPER
UNE PROIE QU'ILS
CONVOITENT

C'EST
PARTI !

BIEN !

ON S'EST FAIT AVOIR !!

CES GAMINS ! ILS POURRAIENT AVOIR UN PEU DE CONSIDÉRATION POUR NOUS !

HAA... JE VAIS ENCORE ME FAIRE REMONTER LES BRETELLES PAR LE COMMANDANT ARMSTRONG !

JE ME DISAIS BIEN QUE C'ÉTAIT TROP CALME

À TON AVIS !

HEU... OÙ ?

ALLONS-Y !

L'ANCIEN CINQUIÈME LABORA- TOIRE !

CLANG

CHAPITRE 12
DÉFINITION D'UN HUMAIN

IL Y A UN TRUC QUI CLOCHE AVEC MON ÉPAULE

QUOI ?...

CRAC

J'EN ÉTAIS SÛR...

J'AI UTILISÉ UN NOUVEL ALLIAGE CONTRE LA ROUILLE QUI EST MOINS RÉSISTANT QUE LE PRÉCÉDENT, DONC NE FAIS PAS DE FOLIES...

C'EST PAS BIEN BARRÉ, IL FAUT QUE J'EN FINISSE VITE

SWOOSH

GLOUPS

SRACK

BLAM

SWOSH

135

WOW!

C'EST DOMMAGE QU'ON SOIT DÉJA ARRIVÉ À LA FIN...

CRISH

ÇA FAIT LONGTEMPS QU'ON NE M'AVAIT OPPOSÉ AUTANT DE RÉSISTANCE

QU'EST-CE QUE TU RACON-TES ?!

ON DIRAIT UN SINGE...

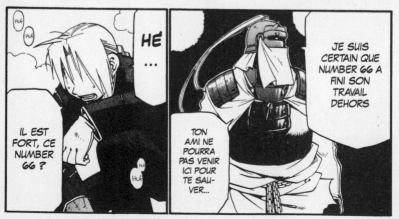

Huf Huf

HÉ...

IL EST FORT, CE NUMBER 66 ?

TON AMI NE POURRA PAS VENIR ICI POUR TE SAU-VER...

JE SUIS CERTAIN QUE NUMBER 66 A FINI SON TRAVAIL DEHORS

MAIS PAS AUTANT QUE MOI...

OUI, IL EST PUISSANT

PAS D'INQUIÉTU-DE À AVOIR POUR LA PERSONNE QUI ATTEND DEHORS...

HOP!

HA, HA, HA !

DEPUIS QUE JE SUIS GAMIN, JE NE L'AI JAMAIS BATTU QUAND ON S'ENTRAÎNE ENSEMBLE !

BLAM

TU TE VAS TE LAISSER FAIRE ?

OUI OU NON ?

LAISSE-MOI TE DÉCOUPER EN MORCEAUX !!

BLAM

BON...

GROS PLEIN DE SOUPE !!

SHWING

TAC

TAC TAC

JE NE TE FERAI PAS MAL !!

ET VOILÀ UNE BONNE ENTRE-CÔTE

YEAH!

HÉ ?

KLING

ZAAAA

PLAF

PAF

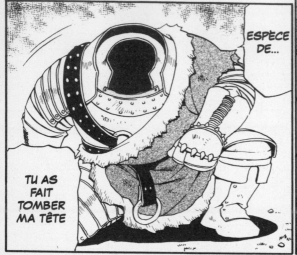

ESPÈCE DE...

TU AS FAIT TOMBER MA TÊTE

BAM

HE ! HE ! OUI, IL Y A UNE PETITE HISTOIRE LÀ-DES-SOUS...

IL N'Y A PAS DE...

BARRY LE BOUCHER !!

TU AS CERTAINEMENT ENTENDU PARLER DE...

JE VAIS TE LA RACONTER...

IL ÉTAIT UNE FOIS, UN BOUCHER TRÈS RÉPUTÉ À CENTRAL, NOMMÉ BARRY

IL AIMAIT ÉNORMÉMENT DÉCOUPER DE LA VIANDE

MAIS UN JOUR IL NE S'EST PLUS CONTENTÉ DE LA CHAIR D'ANIMAUX...

IL FUT RAPIDEMENT ARRÊTÉ MAIS IL AVAIT EU LE TEMPS DE TUER 23 PERSONNES

BARRY ÉTAIT DEVENU L'ENNEMI PUBLIC; C'EST TOUT NATURELLEMENT QU'IL FUT CONDAMNÉ À LA POTENCE

TOUT EST BIEN, QUI FINIT BIEN...

VOILA L'HISTOIRE QU'ON A RACONTÉE AU PUBLIC...

ET IL S'EST MIS À FAIRE LA MÊME CHOSE SUR DES CORPS HUMAINS

DONC... TU L'AS CERTAINEMENT DEVINÉ !!

C'EST MOI, « BARRY LE BOUCHER »

OFFICIEL-LEMENT, BARRY EST MORT PENDU... MAIS...

MAIS, EN FAIT, IL FAUT Y AJOUTER UN PETIT ÉPILOGUE...

IL A ÉCHAPPÉ À SA SENTENCE EN ACCEPTANT DE DEVENIR LE GARDIEN DE CES LIEUX

CEPENDANT, SON CORPS A DISPARU ET SON ÂME S'EST RETROU-VÉE ENFER-MÉE DANS CE CORPS DE MÉTAL...

QUI ÇA ?

T'ES À LA MASSE, OU QUOI ?

OK, TU VIENS PEUT-ÊTRE DE LA CAMPAGNE, MAIS TU DOIS ÊTRE SURPRIS PAR MON CORPS, NON ?

QUOI ? UN PÉQUE-NOT !

JE VIENS DE PROVINCE, JE NE SUIS PAS TROP AU COURANT DES TUEURS DE CENTRAL...

OUAR G·LAH !!!

66

UN PETIT EFFORT...

TU POURRAIS QUAND MÊME DIRE UN TRUC, GENRE « OUARGLAH, IL EST OÙ, TON CORPS » !

OUFFF

AH ! TOI AUSSI TU ÉTAIS UN CONDAMNÉ À MORT ? ON EST POTES, ALORS...

IL EST OÙ, TON CORPS ?! ESPÈCE DE DÉTRAQUÉ !!

JE NE SUIS PAS UN CRIMINEL !

CE N'EST PAS GENTIL DE DIRE ÇA...

APRÈS QUE MON CORPS EUT DISPARU, MON FRÈRE A ATTACHÉ MON ÂME À CETTE ARMURE

IL Y A UNE PETITE HISTOIRE AUSSI...

CLAP

POURQUOI TU AS UN CORPS COMME ÇA ?

QUOI ?

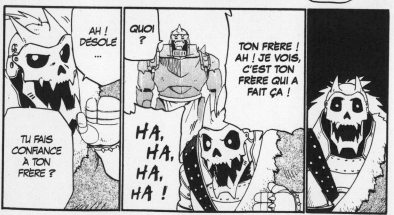

AH ! DÉSOLÉ...

QUOI ?

TON FRÈRE ! AH ! JE VOIS, C'EST TON FRÈRE QUI A FAIT ÇA !

TU FAIS CONFIANCE À TON FRÈRE ?

HA, HA, HA, HA !

OH ! VOILÀ UN BEL EXEMPLE D'AMOUR FRATERNEL !

BIEN SÛR !

IL A SAUVÉ MON ÂME AU PÉRIL DE SA VIE !

MÊME SI C'EST CERTAINEMENT UN MENSONGE !!

TU ES CERTAIN QUE VOUS ÊTES VRAIMENT FRÈRES ?

QU'EST-CE QUE VOUS VOULEZ DIRE ?

NON, NON, JE NE PARLE PAS DE ÇA...

EN FAIT...

EN FAIT, PERSONNE N'Y CROIT... ON A DES PER- SONNALITÉS TRÈS DIFFÉRENTES ET JE SUIS PLUS GRAND QUE LUI

GRRR

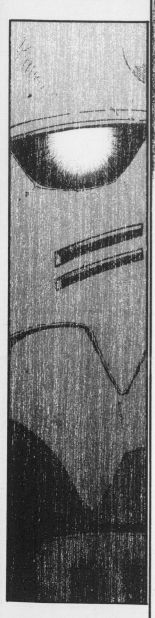

QUELLE SERAIT TA RÉACTION, SI JE TE DISAIS QUE TON ESPRIT ET TES SOUVENIRS ONT TRÈS BIEN PU AVOIR ÉTÉ ENTIÈREMENT CRÉÉS PAR TON SOI-DISANT FRÈRE... ?

HA HA HA HA !!!

C'EST
...

C'EST IMPOSSIBLE ! AVANT, J'ÉTAIS UN HUMAIN QUI S'APPELAIT ALPHONSE ELRIC !

MAIS, C'EST AUSSI VALABLE POUR VOUS, NON ?

QU'EST-CE QUI ATTESTE QUE TU AS BIEN ÉTÉ HUMAIN UN JOUR ?

ET ELLE EST OÙ, LA PREUVE ?

ON NE BOUGE PLUS !

BLAM

C'EST INTERDIT DE RENTRER ICI !

OÙ EST TON CORPS ?!

C'EST FORT POSSIBLE QUE TOUT LE MONDE AUTOUR DE TOI TE MENTE !

SHI

FLOUCH

ALLEZ-VOUS-EN...

LA FERME !!

OUI, DONC POUR MOI, VOYONS...

C'EST TRÈS SIMPLE !!

PLASH

MÊME SI TON AMI GAGNAIT, JE DOUTE QU'IL PUISSE ARRIVER ICI À TEMPS

ET SURTOUT, J'AIME BEAUCOUP TUER DES GENS !!

J'ADORE DÉCOUPER DE LA VIANDE FRAÎCHE !

HA HA HA HA HA HA

JE TUE, DONC JE SUIS !!!

ÇA SUFFIT À PROUVER CE QUE JE SUIS MOI-MÊME !

HA HA HA HA HA HA HA HA

CE BÂTIMENT EST UN VRAI LABYRINTHE, ÇA VA LUI PRENDRE DES HEURES...

QUI SAIT...

AL ! MAIN-TENANT !!

HUM !

WOOSH

SWOOSH

COMMENT
A-T-IL
FAIT...

QUOI
?!

C'ÉTAIT
DU
BLUFF
!!

C'EST
LÂCHE
D'AVOIR
FAIT ÇA...

HUMF, IL
N'Y A QUE LA
VICTOIRE QUI
COMPTE !

KLONG

SHCLING

BAM

CLING CLING

BIEN, ÇA, C'EST FAIT...

CRAC CRAC

CLAP

SI ON SÉPARE LA TÊTE DU CORPS, LE RESTE N'EST QU'UN TAS DE FERRAILLE SANS VIE !

POURTANT, MON SCEAU DE SANG N'EST PAS ENCORE BRISÉ...

POURQUOI TU NE LE DÉTRUIS PAS ?

AH ...

FLAP

À PROPOS DE LA PIERRE PHILOSO-PHALE ?

ET J'AI UNE QUESTION À TE POSER...

JE NE PARLERAI PAS...

JE VAIS TE FAIRE AVOUER TOUT CE QUE TU SAIS !

HA, HA, HA !

HÉ, HÉ ! TU AS PERDU, ALORS PAS D'HÉROÏS-ME MAL PLACÉ...

JE N'AI PAS ENCORE PERDU !

CLING

SWANG

Fshou

C'EST PAS POSSI- BLE !!

...

PAC

PAC

IL N'Y A PAS TOUJOURS QU'UNE SEULE ÂME PAR ARMURE...

DONC LA TÊTE ET LE CORPS SONT SÉPARÉS...

MAIS EN FAIT UN GROUPE DE DEUX FRÈRES

J'AI OUBLIÉ DE TE PRÉCISER QUE LE TUEUR CONNU SOUS LE NOM DE SLICER N'ÉTAIT PAS QU'UNE SEULE PER- SONNE...

HÉ !? C'EST PAS DU JEU !

NE M'EN VEUX PAS, MAIS NOTRE MISSION EST D'EMPÊCHER LES GENS DE RENTRER ICI !

QUI A DIT : « IL N'Y A QUE LA VICTOIRE QUI COMPTE ! » ?

Swish

C'EST L'HEURE DU DEUXIEME ROUND, GAMIN !

MAIS ÇA ME SEMBLE COMPROMIS, VU TON ÉTAT... HA, HA, HA !

AVANT, COMME L'A FAIT MON FRÈRE, JE VAIS TE MONTRER L'EMPLACEMENT DE MON SCEAU DE SANG

G...

POUR QUI TU ME PRENDS ?!

CLAP

IL EST LÀ ! TU LE VOIS ! ALORS, DÉPÊCHE-TOI DE LE BRISER !!

BLAM

JE NE VAIS PAS TE LAISSER LE TEMPS DE FAIRE TES TOURS DE MAGIE !

SWING
SWING

SLASH

SWING

JE COM-
MENCE À
AVOIR DES
VERTIGES...

MERDE...
J'AI
PERDU
TROP DE
SANG...

GWAAHH

PAF

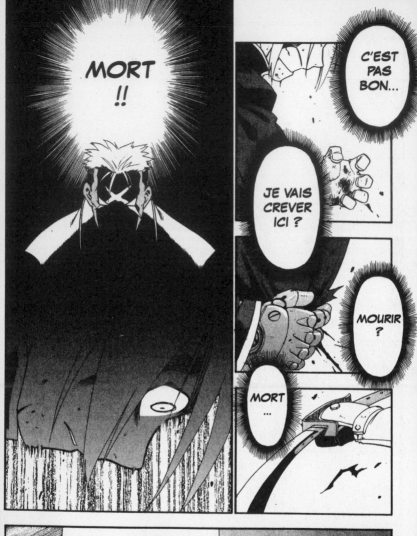

CLAP

ET M...

CRAC

JE T'AI DÉJÀ DIT QUE TU N'AURAIS PAS LE TEMPS D'UTILISER TON ALCHIMIE...

SWOOSH

YAAAAHH!

PAF

ÇA, C'EST POUR M'AVOIR RAPPELÉ CETTE ENFLURE...

WOOOH
...

PLASH

HUM
...

QU'EST-CE QUI S'EST PASSE ?

OUILLE
...

SSSH
SSSH

CLING
CLING
CLING

PAC

PING

JE NE PEUX PAS TUER UN ÊTRE HUMAIN...

TU CROIS QU'ON PEUT ÊTRE CONSIDÉRÉS COMME DES ÊTRES HUMAINS ?

TU AS VU NOTRE CORPS ?

C'EST UN PEU TROP SIMPLE

ÇA VEUT AUSSI DIRE QUE JE NE CONSIDÈRE PAS MON FRÈRE COMME ÉTANT HUMAIN...

SI JE NE VOUS REGARDE PAS COMME DES HUMAINS...

FRÈRE ...

JE L'AI VITE REMARQUÉ

JE M'ENTRAÎNE SOUVENT AVEC QUELQU'UN COMME TOI...

MON FRÈRE EST UN HUMAIN, ET VOUS AUSSI

ET JE NE VAIS PAS VOUS TUER

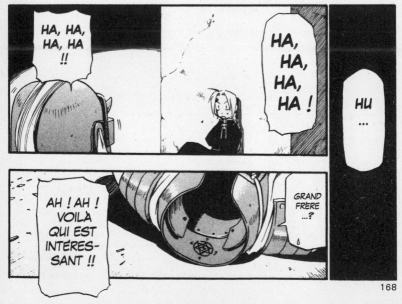

HA, HA, HA, HA !!

HA, HA, HA, HA !

HU...

AH ! AH ! VOILÀ QUI EST INTÉRES-SANT !!

GRAND FRÈRE...?

DEPUIS QU'ON EST TOUT PETITS, ON A VOLE, TUÉ, DÉTRUIT...

SI BIEN QU'ON NOUS TRAITAIT COMME DES BÊTES

GAMIN ! TU VEUX EN SAVOIR PLUS À PROPOS DE LA PIERRE ?

HA, HA, HA ! C'EST DRÔLE, NON ?

ET LÀ, C'EST LA PREMIÈRE FOIS QU'ON NOUS CONSIDÈRE COMME DES HUMAINS ALORS QU'ON N'A MÊME PLUS DE CORPS...

!

JE VAIS TOUT TE RACONTER !...

GAMIN, C'EST POUR TOI...

ET PUIS ON EST DÉJÀ MORTS UNE FOIS, ALORS JE NE VOIS PAS DE QUOI AVOIR PEUR...

DE TOUTE FAÇON, ON SE FERA EXÉCUTER UN JOUR OU L'AUTRE, VU QU'ON N'A PAS RÉUSSI À GARDER CET ENDROIT CORRECTEMENT...

GRAND FRÈRE ! SI TU PARLES ON NOUS DÉTRUIRA !

MAIS, COMME JE TE L'AI DÉJÀ DIT, JE N'Y CONNAIS RIEN EN ALCHIMIE ET ENCORE MOINS À PROPOS DE LA PIERRE PHILOSO-PHALE...

QUOI ?

MAIS ÇA NE SERT À RIEN ALORS !!

C'EST ...

QUI EST-CE ?

EST AUSSI LA PERSONNE QUI NOUS A DEMANDÉ DE GARDER CET ENDROIT...

JE SAIS JUSTE QUE LA PERSONNE QUI TENTE DE LA CRÉER...

PAC

SHING

ATTENTION, ATTENTION...

!!

FSINU'

C'EST FINI, 48, TU EN AS DÉJÀ TROP DIT...

POURQUOI LE FULLMETAL MINUS EST-IL ICI ?

AH ! LA, LÀ !

BONUS
LE FESTIVAL
MILITAIRE

TOUT A COMMENCÉ LORS D'UNE CONVERSATION ANODINE...

C'EST QUI LE PLUS FORT ENTRE LE COLONEL MUSTANG ET EDWARD ?

HÉ...

DONC, ED EST AVANTAGÉ DANS UN COMBAT AU CORPS À CORPS...

J'AI ENTENDU DIRE QU'IL ÉTAIT TRÈS FORT AU COMBAT RAPPROCHÉ, SANS COMPTER SON NIVEAU D'ALCHIMIE HORS NORME...

NON, LE FULLMETAL EST AUSSI REDOUTA-BLE...

C'EST CERTAINEMENT LE CO-LONEL...

...J'AI ENTENDU DIRE QUE TOUT LE MONDE SE DEMANDE QUI EST LE PLUS FORT ENTRE MOI ET LE FULLMETAL...

EDWARD, J'AI EN-TENDU DIRE QU'IL AVAIT VOYAGÉ DANS TOUT LE PAYS...

EN FAIT, LE PLUS FORT...

PSSS

PSSS

C'EST STUPIDE...

VOUS PENSEZ QUE JE VAIS ME VEXER POUR SI PEU ?

VOUS VOUS INTÉRES-SEZ À CE GENRE DE CHOSE, COLO-NEL ?

HÉ, TU NE SAVAIS PAS QUE LE COLONEL AVAIT PARTICIPÉ À LA GUERRE D'ISHBAL ?

QUELQU'UN DEVRAIT ORGANISER UN COMBAT ENTRE EUX...

PSSS

JUSTEMENT, EDWARD EST À CENTRAL EN CE MOMENT POUR PASSER DES EXAMENS...

C'EST VRAIMENT DOMMAGE QUE JE NE PUISSE PAS PROUVER MA SUPÉRIORITÉ À TOUT LE MONDE...

ET MÊME SI ON DEVAIT SE BATTRE, LE FULLMETAL EST TOUJOURS EN VADROUILLE. C'EST DIFFICILE D'ORGANISER UN COMBAT...

HÉ HÉ HÉ

Je relève le défi, vieux croûton !!

OUI, MAIS LE GÉNÉRALISSIME NE DONNERA JAMAIS SON AVAL POUR UNE TELLE PITRERIE...

LE LIEUTENANT HUGHES DIT QU'IL PEUT RÉCUPÉRER UN TERRAIN MILITAIRE POUR L'OCCASION

OUI, MAIS VU NOTRE FORCE, IMAGINEZ LES DOMMAGES QU'ON VA FAIRE SI ON SE BAT...

WA HA HA !

AMUSEZ-VOUS BIEN !

OUI ! VOUS AVEZ MON ACCORD !

HA HA HA HA

ÇA M'A L'AIR RIGOLO

HA HA HA HA

- Général en chef des armées -
PRÉSIDENT KING BRADLEY

BIENVENUE AU CAMPEMENT MILITAIRE DE CENTRAL !

LADIES AND GENTLEMEN !

ON S'EN BALANCE !!

AUJOURD'HUI C'EST L'ANNIVERSAIRE DE MA FILLE ! YEAH !

POUR LA SIMPLE ET BONNE RAISON QUI'...

AUJOURD'HUI C'EST LA FÊTE !!

HOOOUU !!

WA

NOUS AUSSI, ON VEUT AVOIR DE L'AVANCE-MENT !!

RENDEZ-MOI MON FIANCÉE !

HA HA HA

HA HA

HA HA

HA

TRAVAILLEZ SON SANG !!

MAIS BIEN SÛR.

A MORT !!

DANS LE COIN DE DROITE, LE FLAME ALCHEMIST : ROY MUSTANG !!

NOTRE ATTRACTION DU JOUR : LE FEU CONTRE LE MÉTAL ! UN COMBAT D'ALCHIMISTES D'ÉTAT !

OK, ON N'A PLUS BEAUCOUP DE PAGES DONC IL FAUT AVANCER !

NE DITES PAS ÇA !!

BAM BAM

IL M'A PRIS PAR SURPRISE !!

VLAM

« RIEN NE SERT DE COURIR, IL FAUT PARTIR À POINT »

C'EST TELLEMENT PLUS PRATIQUE D'OBTENIR RAPIDEMENT UNE VICTOIRE

C'EST DIFFICILE DE VISER UNE CIBLE SI MINUSCULE !

BAM

HÉ

QUOI ? J'AI ENTENDU « MINUS- CULE » ?!

HAAA

CRAC

EN PLUS, IL MET LE PAQUET !

HÉ ...

Vroush

C'EST MAUVAIS DE RÉPONDRE AUX PROVO- CATIONS...

« LA COLÈRE EST LE PREMIER PAS VERS LA DÉCONCEN- TRATION »

CLAC

ET M...

!

Shlack
Shlack

SCHWING

PLUS DE FEU POUR TOI !

Swoosh

J'AI GAGNÉ !!

MERDE...

« LES SOLDATS DOIVENT PARFOIS JOUER DES APPARENCES... » LA RUSE EST UNE STRATÉGIE HONORABLE !

HEIN ?

DOM

EN FAIT, MA MAIN GAUCHE PEUT AUSSI CRÉER DES FLAMMES !

JE PLAISANTE...

FLAP

BIEN, DONC ...

HÉ HÉ

JE NE MÉRITE PAS TANT D'HONNEUR, MONSIEUR

C'ÉTAIT UN TRÈS BEAU COMBAT, COLONEL MUSTANG !

BIEN JOUÉ !

HAAAA

PIN PON PIN PON

BLAM

JE M'EN DOUTAIS ...

Monceau de cadavres

VOUS ALLEZ RANGER TOUT CE BAZAR AVEC LES AUTRES ...

MAIS OÙ EST LE LIEU-TENANT HUGHES ?

Pourquoi moi ?

COLONEL, TRAVAILLEZ UN PEU !

Pfiou

C'EST POUR ÇA QUE JE NE VOULAIS PAS ME BATTRE...

END

« UN SOLDAT DOIT SAVOIR QUAND IL FAUT BATTRE EN RETRAITE... »

AH ! LIEUTENANT, JE CROYAIS QUE VOUS ÉTIEZ AU CAMP POUR ASSISTER AU COMBAT !

Fullmetal Alchemist Vol.3 - Fin   À suivre...

BONUS

L'HÉROÏNE DE FULLMETAL ALCHEMIST!

PINAKO ROCKBELL!

DONNE LA PATTE !

FAN SERVICE DE LA MORT !

LES SECRETS DE BEAUTÉ DE AL

TRESSE

NATTES

CHIGNON

À L'ANCIENNE

AFRO

?

LONGS

CHEVALIER À LA RETRAITE

Flosh

L'ALCHIMISTE AMBITIEUX !

BOUH

BOUH

C'EST ENCORE SUR NOUS QUE ÇA VA RETOMBER...

QUOI ? C'EST IMPOSSIBLE, NON ?

J'AI ENTENDU DIRE QUE LE COLONEL VOULAIT DEVENIR PRÉSIDENT !

IL EST TEMPS DE CHANGER DE CRÈMERIE, NON ?

HU, HU, HU, MA RAISON... C'EST SIMPLE...

EN FAIT, POUR QUELLE RAISON VOUS VOULEZ DEVENIR PRÉSIDENT ?

PORTENT UNE MINI-JUPE COMME UNIFORME !!

TADA !!

JE VEUX QUE TOUTES LES FILLES DE L'ARMÉE...

ON VOUS SUIVRA JUSQU'À LA MORT !

Fullmetal Alchemist
Volume 3
-Special Thanks-

TAKAEDA Keisui
HINODEYA Sankichi
TOKOH Jun
YUDUKA Masanari
BABA Atsushi
KATOONO Youichi
NANKA Kureman
GUNJYO Noriko
HASHIDA-kun

SHIMOMURA Yuuichi

AND YOU !

PINAKO A CETTE COIFFURE JUSTE POUR QUE JE PUISSE FAIRE CETTE BLAGUE... C'EST VRAI...

ZOOM

AUJOURD'HUI, NOUS ALLONS PERCER LE SECRET DES CHEVEUX DE PINAKO !

ENCORE UN PEU !

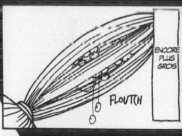

ENCORE PLUS GROS

FLOUTCH

...

ADOPTEZ-MOI ! (MON NOM EST YOKI)

WAAAAHHHH

DU NATTO* !!

* PLAT JAPONAIS TRES POPULAIRE A BASE DE SOJA FERMENTE

KUROKAWA ARTBOOK - KUROKAWA ARTBOOK - KUROKAWA ARTBOOK
Recueil d'illustrations
FULLMETAL ALCHEMIST
volume 2
Hiromu Arakawa
KUROKAWA

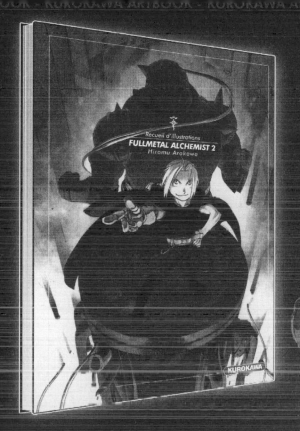

Titre original :
FULLMETAL ALCHEMIST
volume 3

First published in Japan in 2002
by SQUARE ENIX CO., LTD.
French translation rights arranged
with SQUARE ENIX CO., LTD. and
UNIVERS POCHE S.A. through
Tuttle-Mori Agency, Inc.

Collection dirigée par :
Grégoire Hellot

Traduction, Adaptation et Lettrage :
Maiko Okazaki & Fabien Vautrin

ISBN : 978-2-351-42019-5

Kurokawa - 92, avenue de France
75013 Paris

Dépôt légal : novembre 2005
Nouveau tirage : octobre 2021
Imprimé en France par Aubin Imprimeur